Émilie Rivard

# Mon frère est un vampire

Illustrations de Mika

Auteure : **Émilie Rivard**
Illustratrice : **Mika** (Geneviève Guénette)
Graphisme : **Espace blanc design & communication**
www.espaceblanc.com
Révision : **Mélanie Savage**

Dépôt légal – Bibliothèque nationale du Québec,
1er trimestre 2005

Dépôt légal – Bibliothèque et archives Canada,
1er trimestre 2005

ISBN 2-89595-118-7
Imprimé au Canada

Gouvernement du Québec - Programme de crédit d'impôt pour l'édition de livres - Gestion SODEC

Boomerang éditeur jeunesse remercie la SODEC pour l'aide accordée à son programme éditorial.

www.boomerangjeunesse.com
info@boomerangjeunesse.com

Mes parents sont partis en voyage. Un voyage très, très spécial. Avant leur départ, ils m'ont dit :

— Saralou, quand nous reviendrons, tu auras un nouveau petit frère.

Je n'ai ni frère ni soeur. J'ai bien hâte de lui voir la binette, à celui-là! Mon ami Arnaud a eu une petite soeur il y a quelque temps. Elle s'appelle Alice. Mais ce n'est pas la même chose. Alice est sortie du ventre de sa mère. Mon petit frère, lui, sortira du ventre de son pays, la Roumanie. Mes parents m'ont expliqué que c'est vraiment looooooooooooooin.

C'est plus loin que chez mon ami Arnaud, encore plus loin que chez ma grand-maman qui me garde en ce moment, et même à six mille cinquante-douze pas de chez mon oncle Henri, qui vit aux États-Unis. Pour aller en Roumanie, il faut prendre l'avion et traverser l'océan.

Je m'imagine flotter au-dessus
de la mer, comme les mouettes
qui nous volent notre pique-
nique quand on va à la plage.
J'imagine comme ce doit être
fantastique d'ouvrir le hublot,
de tendre la main et de détacher
un petit bout de nuage. On
peut ensuite coucher sa tête
dessus et rêver de mille et une

belles choses. Je ne crois pas qu'on puisse faire des cauchemars, la tête sur un nuage !

J'ai toujours été très curieuse, et je me demande bien quelle 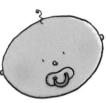 tête aura mon petit frère.

Est-ce qu'il sera blanc, **noir**, jaune ou, qui sait, peut-être même vert ? Quelle langue ils parlent, en Roumanie ? Est-ce qu'ils ont la télévision et les JEUX VIDÉO là-bas aussi ? Tout ce que je sais, c'est qu'il s'appelle Luca.

J'imagine la tête de ma voisine Monique si elle découvrait un

bébé tout vert dans notre landau !
Ses cheveux se DRESSERAIENT dans
les airs et elle crierait à son mari :

— Gaston ! Les Garneau sont devenus fous. Ils ont un bébé complètement vert. C'en est trop, on déménage !

Avant leur départ, mes parents ont lu au moins trois **énormes** livres sur la Roumanie. D'ailleurs, ils traînent encore sur la table du salon. C'est l'occasion parfaite pour trouver des réponses à mes questions. Je m'assois par terre, en attrape un au hasard et l'ouvre en plein milieu.

*La Transylvanie est une région située au nord de la Roumanie. Bla bla bla... la terre des*

*vampires... bla bla bla... Dracula
le vampire... au 15ᵉ siècle...*

Mon cœur bas très, très vite. Ça
y est, maintenant, je sais. Mon
petit frère ne sera pas vert ni
bleu.

CE SERA UN VAMPIRE !

Après un coup dur comme celui-là, je n'ai qu'une chose à faire : appeler mon ami Arnaud. Il se décrit comme un invento-magicien et trouve toujours une solution à ce genre de situation. Je cours

jusqu'au télé-
phone si vite
que j'accroche au
passage une statue
toute nue qui explose à l'atterris-
sage. Patatras ! Grand-mère
s'approche, tout essoufflée, avec
des yeux ronds qui veulent dire :

— Ratatouille
de ratatouille !
Mais qu'est-
ce qui se
passe ici ?

L'urgence est trop
grande pour que je
lui explique la raison
de ma panique. Je file
jusqu'à l'appareil. Je

suis si énervée qu'il me glisse des mains trois, et même quatre fois. Puis je réussis enfin à composer le numéro d'Arnaud. C'est lui-même qui répond de sa voix sérieuse de gentil-garçon-poli-et-tout-et-tout.

— Arnaud, c'est **terrible** ! Mon petit frère, tu sais, celui qui va arriver bientôt d'un autre pays, eh bien ! c'est un VAMPIRE !

À l'autre bout du fil, Arnaud ne dit rien. Je l'imagine, les yeux **GRANDS comme des gommes ballounes,** les plus **grosses**, celles qu'on doit couper en deux pour pou-voir les mâcher. Il a la bouche ouverte si grande qu'elle pourrait en contenir vingt-trois. Il est probablement tombé sur le dos, raide comme une momie.

# Baboum !

Aïe ! ce qu'il doit avoir mal aux fesses, le pauvre ! Puis j'entends :

— Wow ! Il va pouvoir voler avec une grande cape noire !

— Oui, et il va aussi pouvoir sucer tout mon SANG !

Vraiment, parfois, il faut tout lui expliquer ! Mais au moins, chaque fois, il finit par comprendre le danger qui me guette. Dans ces situations-là, il dit toujours la même chose :

— Saralou, l'heure est grave. Je

déclare l'éclat d'urgence.
Réunion immédiate au quartier,
mon **général**.

Depuis qu'il a entendu cette
phrase dans un film, il prend un
grand plaisir à la répéter. Je ne
suis pas certaine de ce que ça

veut dire, mais je le rejoins dans
la cabane au fond de son jardin,
là où il répète ses tours de magie
et fabrique des pièges à monstres
poilus.

J'entre par la petite porte en prenant soin de me pencher suffi-samment. La dernière fois, je me suis fait une si **grosse bOsse** que je croyais avoir une citrouille sur la tête! Mon ami est déjà installé derrière sa table de travail, une feuille devant lui et un crayon à la main. Il m'invite à m'asseoir et me demande:

— Quand est-ce qu'il arrive de la *Rouspettie*, ton petit frère?

— C'est la **Rou-ma-nie**! Il sera ici ce soir, avant le souper.

— Il faut faire vite alors. D'après ce que j'ai lu, les vampires ont **peur** de l'ail. Je n'ai pas trouvé de vraies *glousses* d'ail, mais il y avait ça dans le garde-manger.

C'est écrit « poudre d'ail » sur le petit sac. Si tu t'en

jettes un peu sur la tête chaque nuit, tu éviteras qu'il te morde pendant ton sommeil. Le soleil va aussi te protéger. Ça leur fait mal aux yeux, il paraît. Vérifie ses dents. Tant que

ses canines ne sont pas trop longues, il y a moins de **danger**. Et voici le plan d'une invention

qui le capturera automatique-
ment s'il s'approche de ton lit.

Sur la feuille, Arnaud a dessiné
ma chambre. Il y a toutes sortes
de fils un peu partout. On y
voit aussi mes patins à roulettes,
mon ballon de plage géant et
une grande couverture. Il m'explique que si Luca s'avance vers
mon lit, il roulera sur mon ballon, tombera sur mes patins qui
l'amèneront juste en dessous de
la couverture. Pouf! Celle-ci
lui tombera dessus, et j'aurai le
temps d'appeler la police anti-
vampires avant qu'il ne s'échappe.

Et s'il a le temps de sortir de sa
couverture pour me mordre

avant que je me réveille? Je deviendrai moi aussi un monstre aux longues dents! Je ne veux pas me transformer en vampire. D'abord, j'ai horreur du **SANG**. En plus, j'ai peur des hauteurs. Et puis le noir ne me va pas très bien. Ce n'est pas «dans ma palette», comme dirait ma mère.

Un vampire peut-il boire du jus de fruits, se promener à vélo et s'habiller en rose ? Bien sûr que non. Si c'était le cas, je n'aurais pas besoin de tous les trucs d'Arnaud !

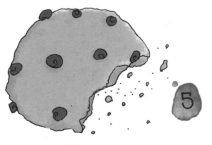

5

Les armes anti-vampires d'Arnaud
en poche, je retourne à la maison. Ma grand-mère a fait des
biscuits. Miam, comme ça sent
bon ! Elle m'en offre un et,
même si j'ai plusieurs choses à
préparer dans ma chambre, je ne
peux pas y résister. Une fois assise

à la table, grand-mère me demande :

— Tu as l'air bien bizarre aujourd'hui, ratatouille de ratatouille ! Quelque chose ne va pas ?

Comme je ne veux pas faire peur à ma grand-mère, je lui réponds :
— Non, grand-maman. Tout va bien.
— Tu dois avoir très hâte de rencontrer le petit monstre !

## Le petit monstre ?

Grand-mère sait déjà que Luca est un VAMPIRE ? Peut-être qu'elle est elle-même un vampire... tout comme papa et maman ! Ça expliquerait pourquoi ils ont décidé de traverser presque tous les pays du monde pour aller chercher un bébé ! C'est encore pire que je pensais. Je ne prends même pas le temps de finir mon biscuit et je cours le plus vite possible jusque dans ma chambre.

Je m'allonge sur mon lit. Je ne peux plus bouger tellement je suis **effrayée**. Allez, Saralou, tu

dois te remuer si tu ne veux pas finir en vampire! Je regarde dans ma poche, sors le petit sac de poudre d'ail et l'ouvre douce-ment.

# Pouah !

Ça sent vraiment **très mauvais**, mais je me bouche le nez et m'en verse une pincée sur la tête. Je me couche en toute

petite boule et je m'endors avec mon ourson **Cornichon** dans les bras.

Dans mon rêve, mon frère vampire

vole autour de moi.

J'ai beau *courir à faire mourir mes jambes*, il est plus rapide. Je me rappelle soudain que d'après Arnaud, la lumière du jour devrait lui faire mal aux yeux. Je sors de la maison en vitesse, mais c'est la nuit ! Je ne sais plus quoi faire, j'ai envie de pleurer. Près de moi, il y a un petit nuage brillant. Ce sont en fait des lucioles qui flottent dans les airs. Elles me font penser à des centaines de poussières de soleil.

J'en attrape une et la place devant le visage de Luca.

Mon plan fonctionne!

Il se tourne et disparaît aussitôt.

Je me fais réveiller par un **grOoooooos câlin**. Avant d'ouvrir les yeux, je devine que c'est maman. Il n'y a qu'elle qui sent

 si bon. En m'éveillant, je lui souris.

Je ne me souviens pas immédiatement du **danger** que je cours. Mais quand elle me donne un **grOoooos bisou** dans le cou, je recule d'un **bond**, le cœur qui bat vite, vite, vite. vite vite vite vitevitevite

— Mais qu'est-ce que tu as, Saralou? demande ma mère. Et c'est quoi, cette **drôle d'odeur**? J'avais complètement oublié la poudre d'ail que j'ai dans les cheveux. Si l'ail ne lui a pas fait peur, c'est que ma mère n'est pas un vampire ! Ouf ! quel soulagement ! Je lui saute dans les bras et lui donne cinq cents bisous. Elle me fait un grand sourire.

— Il serait peut-être temps que tu rencontres ton nouveau petit frère ! dit-elle. Tu vas voir, il est vraiment mignon.

-NOOO

Alerté
par mon
cri, mon père
entre dans ma chambre.
Il s'approche et s'informe de ce
qui se passe. La situation est trop
grave, ils doivent savoir. Je
prends une grande respiration.

# OOOOOOOOOOOOOon!

— Vous ne vous rendez pas compte que vous avez ramené un vampire? dis-je, effrayée.

— Un vampire! s'exclame ma mère. Mais où est-ce que tu es allée chercher une chose pareille?

— Dans le **gros** livre du salon. C'est écrit que la Roumanie, c'est le pays des vampires.

— Ma petite Saralou, Luca est un bébé tout à fait normal...

**7**

Mes parents m'expliquent que les vampires, ça existe seulement dans les histoires pour faire peur. Un certain Dracula a bel et bien vécu il y a **très, très, très longtemps**. Même grand-maman n'était pas encore née. Il ne suçait le sang de personne et il n'avait pas de grande cape pour voler dans le ciel. Mon ourson **Cornichon** serait le seul à avoir peur d'un tel vampire !

Je ne suis pas encore certaine qu'ils ont tout à fait raison, mais, en les tenant par la main, je ne  risque rien. Une petite luciole m'encourage dans ma tête. Et puis j'ai gardé le sac de poudre d'ail dans ma poche d'en arrière, au cas où. Luca est au salon, dans les bras de grand-maman. Je m'approche lentement de ce petit tas de couvertures qui se tortille. Il me regarde avec ses grands yeux foncés et me fait un *large sourire*. J'approche mon doigt, et sa

main vient l'agripper de toutes ses forces. Je suis prise au piège... Mais il est si adorable ! Il n'est ni **vert** ni **bleu** et n'a pas de grandes dents. Et puis un vampire ne pourrait jamais avoir ce sourire-là, j'en suis convaincue.

Je saute sur le téléphone et compose le numéro d'Arnaud. Dès qu'il répond, je lui dis de mon ton le plus heureux :

— Mon petit frère, Luca, n'est pas un vampire, c'est le plus beau bébé du monde !

— Tant mieux si tout roule comme sur des boulettes chez toi. Moi, j'ai un gros problème. Ma petite sœur, Alice, eh bien ! c'est une sorcière...

Oh non! Et

c'est reparti!

# Glossaire

## Agripper
Tenir quelque chose très fort.

## Alerté
Averti d'un danger.

## Canines
Nos dents les plus pointues.

## Capturer
Attraper une personne ou une bête pour qu'elle ne puisse pas s'échapper.

## Dracula
Personnage méchant d'un roman et d'un film, inspiré d'un prince roumain qui a vécu il y a plus de 500 ans.

## Être convaincue
Être certaine.

## Hublot
Fenêtre d'un avion.

## Landau
Petite voiture sur quatre roues pour promener les bébés. On l'appelle souvent un carrosse.

## Luciole
Insecte qui a des ailes et qui est lumineux. On l'appelle parfois aussi mouche à feu.